E OCA
O'Callaghan i Duch, Elena.
Se habran vuelto locos?

DATE DUE

ELENA O'CALLAGHAN
Àfrica Fanlo

¿SE HABRÁN VUELTO
locos?

ESE ERA **YO** ANTES.

ESTE SOY YO AHORA.

ESA ERA
MI MAMÁ
ANTES.

ESTA ES
MI MAMÁ
AHORA.

ESE ERA
MI PAPÁ
ANTES.

ESTE ES
MI PAPÁ
AHORA.

ESA ERA **MI HABITACIÓN** ANTES.

ESTA ES **MI HABITACIÓN** AHORA.

ESA ERA **LA COCINA** ANTES.

ESTA ES **LA COCINA** AHORA.

DESDE HACE TRES MESES,
EN MI CASA PASAN COSAS EXTRAÑAS.
COSAS MUY PERO QUE MUY EXTRAÑAS.

DESDE HACE TRES MESES,
MIS PADRES ESTÁN RAROS.
MUY PERO QUE MUY RAROS.

COSAS EXTRAÑAS
Y RARAS

QUE HA HECHO PAPÁ
EN ESTOS TRES MESES:

1

UN DÍA, EN VEZ DE PONERSE
PASTA DE DIENTES EN EL CEPILLO,
SE PUSO POMADA.

AHORA, CUANDO JUGAMOS AL FÚTBOL,
SIEMPRE SOY YO QUIEN METE LOS GOLES.
¡ÉL NO PARA NI UNO!

EL OTRO DÍA, EN LA COLA DEL SÚPER MECÍA EL CARRITO
LLENO DE PATATAS, TOMATES, CAJAS DE LECHE Y BARRAS DE PAN.
TODO EL MUNDO LE MIRABA COMO SI ESTUVIESE LOCO.
Y YO ME MORÍA DE VERGÜENZA.

3

4

OTRO DÍA SE PUSO UN ZAPATO
DE CADA COLOR.
¡Y NO SE DIO CUENTA HASTA
QUE LLEGÓ AL TRABAJO!

COSAS EXTRAÑAS Y RARAS
QUE HA HECHO MAMÁ EN ESTOS TRES MESES:

UN DÍA,
EN LUGAR DE PONERSE LACA EN EL PELO,
SE PUSO LOCIÓN PARA LOS MOSQUITOS.
Y YO ME MONDABA DE RISA.

1

2 OTRO DÍA,

EN VEZ DE ECHAR AZÚCAR

EN LOS FRESONES, ECHÓ SAL.

ESO YA NO LO ENCONTRÉ TAN DIVERTIDO.

¡ESTABA ASQUEROSO!

3 ANTES ME CONTABA CUENTOS LARGOS, MUY LARGOS.
AHORA ME CUENTA LOS MISMOS CUENTOS
PERO CORTOS, MUY CORTOS. Y YO ME ENFADO.

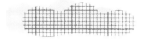

4 ANTES ME IBA A BUSCAR AL COLEGIO.
AHORA VUELVO A CASA CON LA MADRE DE GONZÁLEZ,
QUE ES UNO DE MI CLASE,
INSOPORTABLE Y QUE SIEMPRE PEGA.

ESTOY PREOCUPADO, LA VERDAD.

YO NO ENTIENDO QUÉ PASA EN CASA

DESDE HACE TRES MESES.

PARECE QUE SE HAYAN VUELTO TODOS LOCOS.

SUERTE QUE YO ME DISTRAIGO
UN MONTÓN CON MI NUEVA HERMANITA,
LA PEQUEÑA, QUE ES UNA PRECIOSIDAD
Y QUE EL OTRO DÍA CUMPLIÓ TRES MESES.

PRIMERA EDICIÓN EN ESTA COLECCIÓN: JUNIO DE 2006

DISEÑO GRÁFICO: CASS

COORDINACIÓN EDITORIAL: LAURA ESPOT

DIRECCIÓN EDITORIAL: LARA TORO

© ELENA O'CALLAGHAN, 2006, POR EL TEXTO

© ÀFRICA FANLO, 2006, POR LAS ILLUSTRACIONES

© LA GALERA, SAU EDITORIAL, 2006,

POR LA EDICIÓN EN LENGUA CASTELLANA.

IMPRESO EN TALLERS GRÀFICS SOLER, SA

DEPÓSITO LEGAL: B-25.722-2006

IMPRESO EN LA UE · ISBN: 84-246-2337-1

LA GALERA, SAU EDITORIAL

JOSEP PLA, 95 - 08019 BARCELONA

LAGALERA@GREC.COM

WWW.LAGALERA.CAT